Jürgen D. Wickert

Borobudur

PT Intermasa, Jakarta

Perpustakaan Nasional: katalog dalam terbitan (KDT)

Wickert, Jürgen D.
       Borobudur / Jürgen D. Wickert. -- cet. 16 --

Jakarta: Intermasa, 1996
       62 hlm. : ilus. ; 26 cm.
       Teks dalam bahasa Inggris, Perancis, dan Jepang.
       ISBN 979-8114-30-2

       1. Borobudur (Candi). 2. Candi - Magelang.
       I. Judul   726.143 095 982 252

Text and Photography Jürgen D. Wickert. Artwork Utta Frenzel
English Translation Lilo Oldenburg
French Translation Budi Lestari & Gilles Guerard
Japanese Translation Elena
Thanks are due to Mr. I. Burstedde and Mr. S. Schulz, both temporary
engineering experts for the UNESCO Borobudur Restoration Project,
and to Dr. U. Kratz, for their helpful information.

© PT Intermasa, Jakarta
First Edition 1975
Second Edition 1977
Third Edition 1979
Fourth Edition 1982
Fifth Edition 1984
Sixth Edition 1985
Seventh Edition 1986
Eight Edition 1988
Ninth Edition 1988
Tenth Edition 1989

Eleventh Edition 1990
Twelfth Edition 1990
Thirteenth Edition 1991
Fourteenth Edition 1993
Fifteenth Edition 1994
Sixteenth Edition 1996
All rights reserved
Photographs taken with Kodak - Ektachrome professional.
Printed & Published by PT INTERMASA, Jakarta, Indonesia
Phone : (021) 4602805, 4602807, 4602808

Introduction

For hundreds of years, the Buddhist sanctuary of "Borobudur" had existed unnoticed, overgrown in the tropical climate of Central Java.

The monument was ordered to be constructed around 750 A.D. by a powerful and wealthy ruler of the Çailendra dynasty.

The meaning of the name "Borobudur" remains unexplained but might be a modification of two words from Sanskrit — "Complex of Temples on the Hill". A second explanation is offered by an inscription dating back to the year 842 A.D., according to which the word "Borobudur" would mean "Accumulation of Virtue in the Ten Stages of the Bodhisattvas".

The decline of the Mataram empire around 919 A.D. and the transfer of the cultural and political center to East Java coincide with the possible termination of the construction work at Borobudur and a mysterious depopulation of that part of Java. It is possible that through the generations, the people in that area who had worked on the construction of the temple for their livelihood had lost their agricultural know-how. They may have moved into the area of the new center, East Java.

Almost one thousand years later, a Javanese nobleman took the first step towards the temple's rediscovery and was soon folowed by Sir Stamford Raffles, the British Governor General at that time.

The enormous dimensions as well as a very differentiated symbolism have made Borobudur one of the largest temple constructions outside India. On account of its technical, architectonic and symbolic structure, Borobudur is closely related to other Buddhist temples in Cambodia and India.

Modern measuring and drilling techniques, aerial photography with stereo and infrared cameras, have helped considerably to reveal much which until a few years ago was unknown. Nevertheless, a considerable amount of ignorance, speculation and mystification remains. Neither the exact date of construction, nor the name of the ruler who ordered it, nor the duration of the construction period is known.

An extensive second restoration programme with international technical and financial aid has determined the picture of the Candi Borobudur of to day. It is to be hoped that the unique character of this monument as well as the numerous still undiscovered secrets of its architecture will not be lost as rare testimony of a living past.

The ruler of the Buddhist Çailendra-Dynasty, whose name is unknown, had ordered at the beginning of the eighth century the construction of the largest temple in the world he knew in honour of Buddha.

A group of architects and priests went out to search for an area surrounded by two rivers and a mountain ridge, thus offering symbolic protection through natural protection. A suitable site was found approximately 41 kilometers north-west of Jogyakarta in today's region of Magelang.

Closely related with the old ideas of ancestral worship, a sort of mountain was to be erected — a stupa made of square stone — symbol both of the unity of the cosm and an all-embracing philosophy of the world.

Thousands of people worked under the supervision skilled building artisans. The huge quantities of stone (a proximately 55.000 m³) were supposedly taken from o source in the surrounding mountains. Even with the mo modern research methods, however, the stone quar itself has not been discovered to this day. There are co troversial opinions about the exact date of the beginnin of the construction as well as its termination. The e timations of scientists vary between 80 and 200 year

4

View of the east ascent
東側階段から見られる景色。
Vue du côté Est.

Buddha on the outside of first balustrade, east face
東側の外回廊にいるブッダ (*Buddha*)。
Bouddha à l'extérieur de la première balustrade, face Est.

The numerous niches, galleries and stairways — at first seemingly boundless — are arranged in a strict and symbolic order.

At first glance, Candi Borobudur consists of nine superimposed terraces, symbol of the nine levels of the Holy Mount Meru. These terraces again differ from ea other in that they belong to three spiritual phases sy bolizing the levels of existence. The Buddhist relig arranges the temporal existence and the spiritual conc tion in three spheres. The lowest sphere — kamadhatu represents the transitoriness of life. Rupadhatu, the

The east face, as seen from the south-east corner
東南側のコーナーから見られる寺院の東側。
La face Est, vue du coin Sud-Est.

...nd sphere, has renounced all human desire but still ...kes on earthly forms. Arupadhatu, the highest and third ...here, represents Nirvana, the Unimaginable, Eternal ...eliverance.

...he historical founder of Buddhism — Siddharta Gau-

...tama (literally: he who has fulfilled his destiny) — was born in 560 B.C., the son of the ruler of Kapilavastu, a small country south of the Himalaya. Gautama lived on earth as a human being but through meditation and enlightenment reached a condition of supernatural purity, void of all earthly desires.

View of the east flight of stairs
東側から見られる景色。
Vue de la série d'escaliers Est.

The legend tells that Gautama's royal mother — Queen Maya — one night had a dream in which she was abducted by four mysterious kings. She was led to a silver mountain and into a golden palace, where she came across a white elephant who carried a lotus blossom in his trunk. The elephant encircled her three times and then entered her womb. Confused by this dream, the king called together 64 Brahmins who were famous for their wisdom, in order to interpret this strange dream.

They predicted that the Queen would give birth to a son, whose power would make him the ruler of an empire

One of the two lions guarding the east ascent on either side
東側の階段にある門番シシ。
L'un des deux lions gardant chaque côté de la montrée Est.

much greater than his father's, provided the royal parents succeeded in keeping their son at the palace. Should they fail and the son leave the palace and go into the outside world, he would become enlightened and his power would suffice to fight the ignorance of mankind and bring truth to them. His parents, however, were not happy at the thought of their son renouncing life in search of enlightenment and decided to do everything in their power to educate him in the royal tradition and keep him at the palace.

His trips to a nearby royal park — Lumbini — were Gautama's only means of contact with ordinary life. Dur-

Detail of the hidden foot, which was revealed about 30 years ago (south-east corner)
３０年前に、見つけられた足像が見えます。（東南側のコーナーに）
Detail de la base perdue, révélée dans les années 40 (le côté Sud-Est).

ing these trips he saw a feeble old man, a fatally sick man, a decaying corpse and finally a monk living in asceticism. The destitution of ordinary life, poverty, sickness and simple death soon gained more influence over his thoughts than the luxurious life at the royal palace. One night, Gautama left his father, his wife and his son and walked

without rest beyond the boundary of his empire in order to renounce his privileged life and search for a way to free the world of destitution.

After seven years of strict physical privation and spiritual meditation, he realized that physical torture did

"Aspara" Nymph on the outside of the first balustrade, east ascent, to the right
東階段の右側の外回廊にあるニュンパハ　アスパラ (Nymph Aspara)。
La nymphe montrée "Aspara" à l'intérieur de la première balustrade, la montrée Est, à droite.

Upper relief—third scene of the depiction of Buddha Gautama's life; first gallery, main wall
上にレリーフはブッダ　ガウタマ (Buddha Gautama) の生活を描いています。　（一段の主壁に）
Relief supérieur — troisième scène peignant la vie de Bouddha Gautama; première galerie, mur principal.

not help to find enlightenment and started eating and drinking again. Only after that, he saw the cause for the eternal recurrence of birth and death and thus of suffering and misery in the "Four Holy Truths" — the basis of his later teachings:

1. All life is suffering.
2. All suffering is the result of lust and desire.
3. The removal of desire leads to the removal of suffering.
4. The way to deliverance is through the Holy Eightfold Path which is: righteous belief; righteous intention; righteous word — truth and openness; righteous conduct — peaceful and pure; righteous living — causing no injury; righteous effort towards self-control; righteous thinking; righteous meditation.

Gautama had become enlightened, a Buddha, and went on a pilgrimage throughout the northern part of India. A great number of converts joined him. At the age of eighty, the founder of the new, fast spreading Buddhist religion died.
It is said that his last words consisted of an encompassing realization and exhortation: All that has come to exist is transitory; the struggle must continue!

above:
Depiction from the prenatal phase of Buddha's existence.

上、ブッダが生まれなかった時代事情。

en haut:
Peinture de la phase prénatal de la vie de Bouddha.

below:
as above, a scene from the prenatal phase of Buddha's existence; both pictures are in the last section of the first gallery

下、上のと同じ。両方が一階にあります。

en bas :
Comme en haut, scène de la phase prénatal de la vie de Bouddha; les deux images sont dans la dernière section de la première galerie.

Well-preserved detail "Lalitavistara" (the story of Buddha Gautama starting with his birth and ending with his first speach at Benares)— first gallery, south face

一階の南側にラリタヴィスタラ (Lalitavistara) のレリーフ。

Détail bien préservé "Lalitavistara" (l'histoire de Bouddha Gautama, commençant avec sa naissance et finissant avec sa première discours à Bénares) — première galerie face Sud.

The first spiritual sphere of Buddhism — kamadhatu — represented by the foot of Candi Borobudur, is accessible at present in four places only. A huge protecting wall of about 12.000 square meters covers most of the reliefs and has preserved them in a largely undamaged state. This base accommodated the pictorial reliefs depicting actual life — pictures of love, hatred, punishment, happiness, hope and the destitution of hell. This was only discovered in 1891, while working at the restoration of the temple.

Since then, two theories have developed about the origin of this wall. One is of a constructional nature: As several of the 160 hidden reliefs were found unfinished, this theory maintains that, even before the termination of the construction work, the entire monument threatened to collapse and a supporting wall was quickly built around the base of the temple. Drillings which have been made during the present restoration support this theory. It was found that the site on which the temple is constructed not only consists of a natural hill but also of filled-up earth which, of course, was not strong enough to serve as a solid base for the mountain of stone.

The second theory favours a religious interpretation and presupposes that the massive stone wall had been

14

Buddha Gautama's mother—Queen Maja—on her way to Lumbini Grove; first gallery, south face
一階に、ルンビニ(*Lumbini*)森へ歩いていったブッダ　ガウタマ (*Buddha Gautama*) の母親、マヤ(*Maya*) 王女。
La mère de Bouddha Gautama — la reine Maya — en chemin vers bois de Lumbini; première galerie, face Sud.

planned right from the start. The Candi Borobudur was not meant to serve the religious society in general but only a chosen group of monks, who were expected to renounce all human desire in order to reach the sphere of deliverance and enlightenment. The theory concludes that on the one hand the sphere of desire had to be depicted, on the other hand, however, it had to be hidden from the eyes of the monks.

The reason why this kind of cover had to consist of a stone wall of these dimensions — 6 m thick and 3 m high — is further explained by the belief that only through "cakrawala", the "Iron Wall", the spiritual world of the

Borobudur could exist in its entirety genuinely separated from the rest of the world.

The first theory seems to have a greater inner logic.

Via a landing in the stairway, today's visitor to Borobudur enters the first so-called gallery. This is the lowest of four galleries which make up the "Rupadhatu", or the second spiritual sphere of Buddhism. In it, all human desire has disappeared, just the forms of our world still prevail. This is generally the sphere of the Bodhisattvas, who — although of human form — have nevertheless renounced lust and desire and are close to deliverance. The first gallery holds clockwise two superimposed series of reliefs, on the balustrade as well as on the main wall. The upper series of reliefs on the balustrade depicts Buddha's spiritual life, while the main wall shows his earthly life. Some of the reliefs could not yet be interpreted with certainty.

The balustrade of the first gallery should accommodate a total of 104 Manushi-Buddhas in open niches. (Due to robbery and reconstruction there are at present only 79 Buddhas). Those at the four corners of the monument point to the four compass directions. In the Buddhist hierarchy, the Manushi Buddhas, because of their earthly manifestation, represent the lowest degree of holiness.

Niche with Buddha in "Bhumisparcamudra", the posture in which he calls the earth as a witness to his teachings; east face, first gallery
一階の東側に、ブミスパルカマドラ (Bhumisparcamudra) としてのブッダは自分の教えを証拠するように地球をよんでくれました。
Niche de Bouddha en "Bumisparcamudra", position dans laquelle il prend la terre à témoin de son enseignement; face Est, première galerie.

A close-up of one of the Buddhas; east face
東側に、仏像クローズアップ。
Vue de premier plan de l'un des Bouddhas; face Est.

It is relatively easy to recognize a Buddha by his stature, posture and clothes. He is dressed in a gown which, in a sitting position, leaves the right shoulder bare. His hair consists of small curls, which are arranged around his head in right-hand spirals, in the centre of which is a small upright braid.

Except for one single posture, in which Buddha carries bowl, his hands are always free. Meaning and symbol in the different hand positions (Mudra), they may assum a teaching, reassuring, warning or reasoning attitud seven different Buddha characters have been found Borobudur.

View of first, second and third galleries with numerous niches and Buddhas

一階から三階までの仏像とレリーフ。

Vue des première, deuxième et troisième galeries avec de nombreuses niches et Bouddhas.

fter ascending another flight of stairs, the visitor will
nd himself in the second gallery. The reliefs are a con-
nuation of the stories from the first gallery, with the only
ifference that they are single, full-height pictorial panels
nd not in two rows. The Buddhas of the second
alustrade — (there should be 104, actually at present
there are only 50 Buddhas) — belong to the "Dhyani"
group, the so-called meditation Buddhas. They are the
rulers of the four winds of heaven: Akshobhya in the
East — Amogasiddha in the North — Amithaba in the
West and Ranasambhawa in the South. The Dhyani
Buddhas also differ through their varying symbols according to their direction.

The Buddhas facing east are calling the earth as witness; those facing north symbolize fearlessness; Buddhas facing west are lost in meditation and those on the south side symbolize charity and mercy.

Gaping cracks are clearly visible between the stone blocks — the result of rain water which has collected inside the monument, creating an outward pressure. Moss and fungus, as well as earthquakes, settling and other soil movement add their share to the natural process of decay. The visitor will marvel at the immense work and patience necessary to number the individual stones, dismantle, clean, preserve and finally rebuild them. And yet it is the only possibility of preserving this unique monument for the future.

After ascending yet another flight of steps, the third gallery opens itself to the eye. Reliefs and balustrade hardly differ from the stage below.

Only a few of the Borobudur Buddhas still have their original heads; over the past decades, museums, art galleries and especially private collectors all over the world have made them treasured objects of trade. Occasionally it has been possible to locate these heads and return them to Borobudur. It was hoped that plaster casts of the broken surfaces would help in fitting the correct parts together, however this was only possible in two out of 42 cases.

While the first stage of the Buddhist spheres of existence is considered the World of Desires, the second stage becomes the Sphere of Form.

above: The picture shows a Dhyanni Buddha in "Bhumisparcamudra" position, calling the Earth as Witness

上、ブミスパルカマドラ (Bhumisparcamudra) としてのブッダ　ヂヤニ (Buddha Dhyanni) が地球をよんでくれました。

en haut:
La photo présente un Dhyani Bouddha en position de "Bhumisparcamudra", prenant la terre à témoin.

below: Another example of 64 Dhyanni Buddhas in "Abhaya-mudra" position of fearlessness— fifth gallery.

下、五階に、アブヤ　マドラ (Abhaya Mudra) としてのブッダ　ヂヤニ (Buddha Dhyanni) 像が勇気 があることを表します。

en bas :
Autre exemple des 64 Dhyani Bouddhas en "Abhaya-mudra", position du courage — cinquième galerie.

South face, second gallery—one of 128 reliefs depicting the life-story of Sudhana, a rich-merchant's son.
Trying to obtain highest wisdom he meets with his teachers—Meitreya, the Future Buddha, and Bodhisattva Samantabhadra

二階の南側に、金持ち商人子としてのスダナ *(Sudana)* 生活を描くレリーフ。 学問を受けるために、

先生たちに（ボヂサットヴァ サマンタブハドラ*(Bodhisattva Samantabhadra)* とマイトレヤ *(Maitreya)* に会いにいきました。

Face Sud, deuxième galerie — l'un des 128 reliefs portant sur l-histoire de la vie de Sudhana, le fils du riche marchand. Cherchant
à obtenir une plus grande sagesse il recontre ses professeurs — Maitreya, le futur Bouddha, et Bouddhisattva Samantabhadra.

Often, the intended meaning of a scene displayed on a pictorial panel is no longer apparent, however human desire is certainly no longer depicted. On the other hand, the ornaments and decorative adornments increase in number and become more and more imaginative, a transformed expression of the boundless shape and form of earthly life

Detail of the story of Buddha Gautama — second gallery, south face
二階の南側に、18ページ絵の詳しいレリーフ。
Détail de l'histoire de Bouddha Gautama — deuxième galerie, face Sud.

The second Buddhist sphere ends with the fourth gallery. The meaning of the reliefs on the outside wall of the gallery is largely unknown, or cannot be attached to one of the familiar myths or stories. There is no doubt, however, that they are illustrations of the most advanced Buddha of the future. The reliefs on the opposite inside wall describe the life of the least advanced Buddha of the future. It is said that the Javanese followers of Buddhism were particularly devoted to this latter Buddha. The balustrade should accommodate 72 (at present 68) Buddhas, just a little smaller than the others, thus maintaining the overall smaller proportions of this stage.

above: Buddhas on the east face — arbitrary destruction by past centuries is evident in the missing niche and the missing head of the Buddha in the foreground

上、東側にある仏像。　壊れたストゥーパがよくみえます。

en haut: Bouddhas sur la face Est — les destructions des siècles passés se voient clairement à la niche et à la tête de Bouddha manquant au premier plan.

right: Decorative ornaments in the third gallery, south face. One of the 88 reliefs devoted to Maitreya, the First Buddha of the Future

右、三階の南側にある素晴らしいレリーフ。　88レリーフの中では、これがマイトレヤ (Maitreya) ために，敬礼されるレリーフ。

à droite: Ornements décoratifs dans la troisième galerie, face Sud. L'un des 88 reliefs dévolus à Maitreya, le Premier Bouddha du Futur.

Frequently, the statues and half-open niches are damaged through the wantonness or carelessness of visitors. For a more favourable camera-angle, risky climbs are often undertaken which cause the loose layers of stone to collapse. For fear of discovery, the damage scantily covered up, thus making it even greater.

The huge trees in the vicinity of the temple partly obstruct the view of the surrounding mountains, the cocon

above: Gargoil of the west face, fourth gallery

四階の西側に、水流れのレリーフ。

en haut:
Gargouille de la face Ouest, quatrième galerie.

below: The 84 reliefs on the fourth gallery depict the story of Bodhisattva Samantabhadra, the Last Buddha of the Future, who — like all Bodhisattvas — awaits his reincarnation

四階に８４レリーフがボヂサットヴァ サマンタブハドラ (Bodhisattva Samantabhadra) を描きます。

en bas:
Les 84 reliefs de la quatrième galerie représentant l'histoire de Boudhisattva Samantabhadra, le dernier Bouddha du Futur, qui — comme tous les Boudhisattvas — attend sa réincarnation.

Buddha sitting in the open, on the fourth balustrade, south face
四階南側の外回廊にすわっているブッダ *(Buddha)*。
Bouddha assis dehors, sur la quatrième balustrade, face Sud.

plantations and the endless rice paddies. Before finally reaching the circular terraces, or the third and highest sphere — Arupadhatu —, the visitor enters a kind of plateau. The balustrade should hold 64 Dhyani Buddhas (at present 60) and still maintains the square shape of the lower galleries. The statues are symbols of the Buddha Wairocana, the ruler of Heaven and commander of the lower spheres.

Fourth gallery, south face
四階の南側。
Quatrième galerie, face Sud.

Fourth gallery, south face — Detail of a relief, partly damaged
四階の南側に、壊れたレリーフ。
Quatrième galerie, face Sud — Détail du relief, partiellement endommagé.

The inner wall of the gallery is now almost circular and carries no reliefs.

This plateau represents the transition from the sphere of Form into the sphere of Formlessness, of the unimaginable and of that which cannot be experienced.

The first terrace of the highest sphere accommodates 32 "stupas" or "dagobs", a repetition of the symbol of th Holy Mount Meru. Through the rhombic openings c each of the trellised stupas, a Wajrasattva Buddha can b seen in a sitting posture, turning the dharma wheel (th wheel of life).

The vast view from the temple — now undistracted b

Fourth balustrade, east face — Buddha facing the surrounding landscape
東側の四階層回廊に、周囲の景色を見まわしているブッダ *(Buddha)*。
Quatrième balustrade, face Est — Bouddha faisant face au paysage alentour.

Fifth balustrade, as seen from the transitional level (plateau), between the square and circular stages
丘地方から見られる五階層回廊。
Cinquième balustrade, vue du niveau transitoire (plateau), entre les niveaux carrés et circulaires.

reliefs and balustrades — and the severe and concentrated architecture of the terrace and its stupas, must convey, even to the modern visitor, a sense of immense peace of mind.

Contemplations on one's life usually end in touching one of the half-hidden Buddhas, thereby taking away a promise of happiness and good fortune.

When van Erp started with the restoration of th monument in 1907, all stupas had either collapsed or bee broken by force. To some extent the Buddhas were con pletely missing or their heads had been broken off an stolen.

…he simultaneousness of
…esence and non-presence
…picted by the trellised
…upas symbolized to the
…storic pilgrim or monk the
…ghest stage of fulfilment.
…he fact that this stage again
…divided into three terraces
…veals the extreme subtlety
…the monument's architects
…well as of the religion
…elf.

View of the surrounding landscape
寺院周囲の景色。
Vue du paysage alentour.

The monks of the period after completion of the temple — at least during the fourteenth century — belonged to the "Vajradharas" sect. They are said to have had an unusually strong relation to magical practices and towards the female sex, which expressed itself in rituals of a slightly animistic character. The rare historic literature now and then indicates erotic excesses, which might co[r]rect the all too pure and idealistic picture of Buddhism [to?] the modern visitor. According to some speculations, t[he] fact that the reliefs are relatively free from eroticism — [as] compared to similar Indian reliefs — may have served as [a] kind of alibi for the actual events.

One of the stupas with Buddha turning the dharma wheel, partly left open by van Erp at the beginning of this century; second circular terrace

生活輪をまわしているブッダ *(Buddha)。*　ヴァン・エルプ *(Van Erp)* がそのまま置いていました。

L'un des stoupas de Bouddha tournant la roue dharma, laissé ouvert partiellement par van Erp au début de ce siècle; deuxième terrasse circulaire.

he second terrace has 24 Buddhas of identical sture and meaning. The visitor finds himself transferred to a world of abstraction, in which he feels himself the ly tangible object.

cross the vastness of the open space, coordinates are established to the surrounding landscape, to the mountains and rivers, in whose shelter the temple was built. — The agonies of mankind — who after all are responsible for the existence of this sanctuary — seem to disappear forever. A last variation is seen on the third terrace, where 12 Buddhas are covered by trellised stupas of an even simpler design, with square instead of rhombic openings.

35

Ascent to the main stupa, west face
西側に主ストゥーパへの階段。
La montrée du stoupa principal, face Ouest.

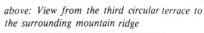

above: View from the third circular terrace to the surrounding mountain ridge

上、三階の回廊から見られる周囲景色。

De la troisième terrasse circulaire, vue de la chaîne de montagne alentour.

below: The other stupa with Buddha left exposed by van Erp—first circular terrace

下、一階の回廊に、ヴァン・エルプ (Van Erp) がそのまま仏像を置いていました。

en bas:
L'autre stoupa avec Bouddha laissé exposé par van Erp — première terrase circulaire.

The highest and all overtowering mai stupa in its plainness and abstraction symbolizes the eternal peace afte deliverance. This condition is no longe imaginable to mankind: It is Ni vana, forever concealed and never theless emitting all power and law which govern the world and the mind

As early as in 1814, an empty spac was found inside the stupa, which gav rise to various speculations.

There is the probability that this spac had contained a large Buddha statu which was stolen at some time in th past. On the other hand, a statue of suitable dimensions was found in th vicinity of the monument, which from sculptor's point of view had some flaw and perhaps for this reason was no used as planned but was buried instead

It is also possible that the stupa had once contained a statue of the temple' founder and ruler of the Çailendr Dynasty, whose name is unknown bu who may have been worshipped as Godking (devaraja). It may have been

Buddha of the north
ce — calling the
rth as witness

側に、地球を

んでいたブッダ

uddha)。

ouddha de la face nord
prenant la terre à
moin.

leaning work at the
oot, west face

面側に、石をきれいに
ています。

ravail de nettoyage au
ied du temple, face
Ouest.

Overall view from the north-west
西南側から見られる周囲の景色。
Vue général du côté Nord-Ouest.

robbed, or taken to a secret hiding place by the last des-cendents of that dynasty at the time of its decline.

Another theory and possibly a more logical one maintains that the builders left this space intentionally empty, in order not to desecrate the sphere of Nothingness through human attempts at symbolizing the indepictable.

So many parallels exist to monuments in India and Cam bodia that each of the described theories could claim certain degree of validity through analogy.

For this very same reason, the truth may forever remair unknown.

Appendix

Maps, Diagrams
French translation
Japanese translation

Appendices

Plans, Schémas,
Traduction française
Traduction japonaise

付録

地図、断面図
仏語訳
日本語訳

Bird's eye view
一目の景色。
Borobudur vue d'avion.

Borobudur

(cross section)

Buddhas

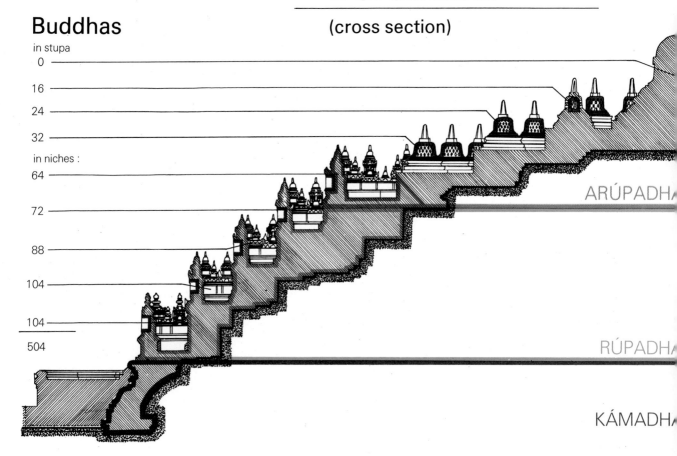

in stupa
- 0
- 16
- 24
- 32

in niches :
- 64
- 72
- 88
- 104

- 104
- 504

ARÚPADH

RÚPADH

KÁMADH

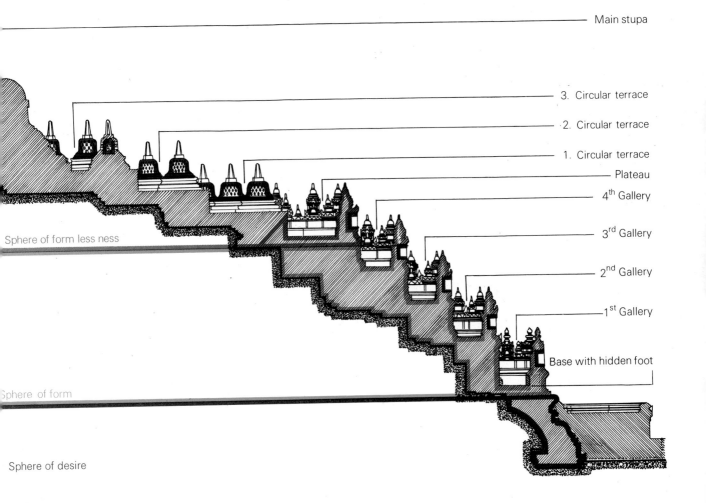

Main stupa

3. Circular terrace

2. Circular terrace

1. Circular terrace

Plateau

4th Gallery

Sphere of form less ness

3rd Gallery

2nd Gallery

1st Gallery

Base with hidden foot

Sphere of form

Sphere of desire

45

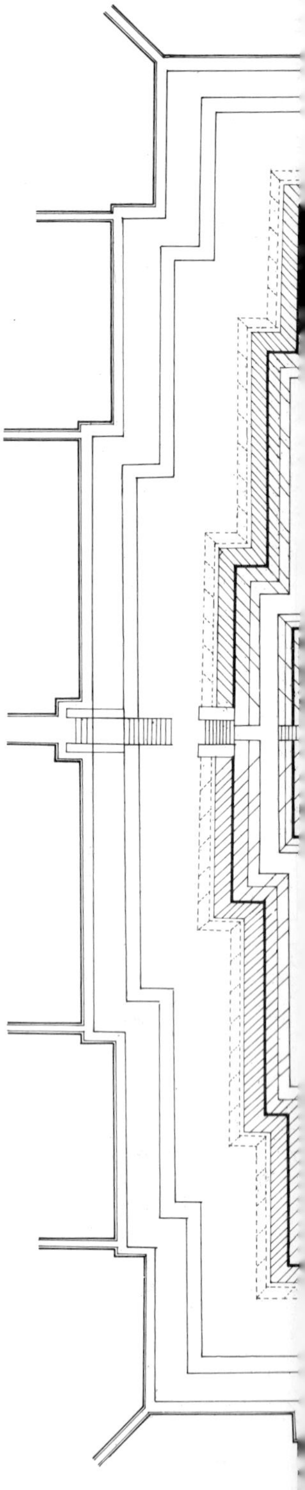

Datas: width 123 m
height — original 42 m
— present 31,5 m
total of used stone material
— 55.000 m³

データ：

面積：　１２３メートル

高さ：　昔、４２メートル

　　　　今、３１、５メートル

石量：　５５０００

Données: largeur 123 m
hauteur — originelle 42 m
— actuelle 31,5 m
quantité total de pierre utilisée
- 55.000 m³

46

BOROBUDUR
(PLAN)

main stupa

3. terrace

2. terrace

1. terrace

plateau

4. gallery

3. gallery

2. gallery

1. gallery

hidden base

main staircase (south side)

Facsimile reproduction of Borobudur shortly after completion of the first restoration by van Erp in 1911

１９１１年に、ヴァン・エルプ (Van Erp) が一回目修復された ボロブドゥール (Borobudur)。

Une reproduction fac-similé de Borobudur peu après l'achèvement de la première restauration entreprise par van Erp en 1911.

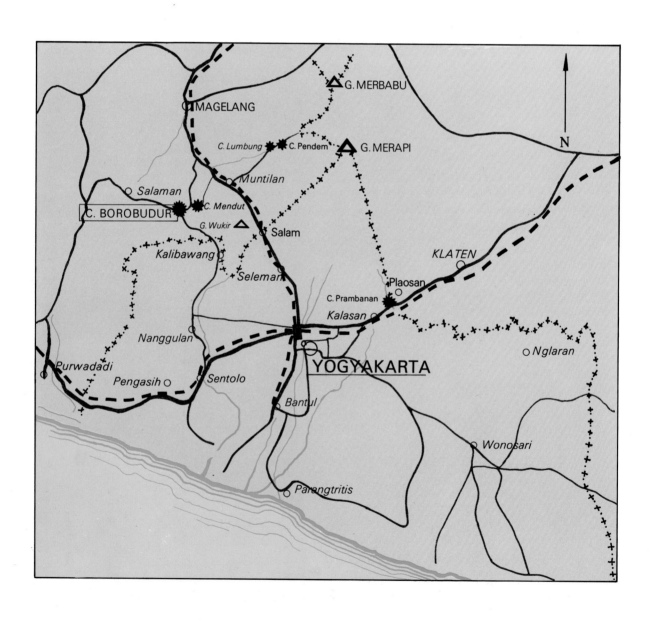

G. MERBABU

MAGELANG

C. Lumbung   C. Pendem

G. MERAPI

Muntilan

Salaman

C. BOROBUDUR   C. Mendut

G. Wukir

Salam

Kalibawang

KLATEN

Seleman

Plaosan

C. Prambanan

Kalasan

Nanggulan

Nglaran

Purwadadi

YOGYAKARTA

Pengasih   Sentolo

Bantul

Wonosari

Parangtritis

N

Introduction

Pendant des centaines d'annees le sanctuaire bouddhique de "Borobudur" était resté inconnu, recouvert de végétation sous le climat tropical de Java Central.

La construction du monument fut ordonné vers 750 ap. J.-C par un riche et puissant souverain de la dynastie Çailendra. Le sens du nom "Borobudur" reste inexpliqué. Il s'agit peut-être de la modification de deux mots sanscrits — "Complexe des Temples à la Colline". La deuxième explication est offerte par l'inscription qui date de 842 ap. J.-C, selon laquelle le mot "Borobudur" signifie "Accumulation des Vertus aux dix niveaux de Boudhisattvas".

La chute du royaume Mataram vers 919 ap J.-C et le transfert du centre culturel et politique vers Java Est coincide peut-être avec la fin de la construction de Borobudur et au dépeuplement mystérieux de cette partie de Java. Il est possible qu'au fil des générations les populations de cette région, qui avaient travaillé leur vie entière à la construction du temple, aient perdu leur savoir-faire agricol. Elles ont peut-être émigré vers le nouveau centre dans la région de Java Est.

Près de mille ans plus tard, c'est un noble javanais qui devait faire le premier pas vers la redévouverte du temple et il fut bientôt suivi par Sir Stamford Raffles, le Gouverneur Général anglais de l'époque.

Sa dimension colossale autant que son symbolisme très particulier ont fait de Borobudur l'un des temples les plus grand hors de l'Inde. De par sa structure technique, architectonique et symbolique, Borobudur est rattaché étroitement aux autres temples bouddhiques au Cambodge et en Inde.

Les techniques modernes de mesure et de forage, les prises de vues aériènnes avec caméras stéréo à infrarouge ont permis d'avancer considérablement les connaissances sur des points restés mystérieux jusqu'à ces dernières années. Néanmoins, une grande quantité de spéculations, d'intérrogations et de mystères sont restés sans reponse. On ne connait ni la date exacte de la construction, ni le nom du souverain qui l'ordonna, ni la durée des travaux.

Le deuxième grand programme de restauration, réalisé à l'aide de techniques et de fonds internationaux a fixé il y a quelques années l'aspect définitif de Borobudur. Le caractère unique du monument, ainsi que des nombreux secrets architecturaux non encore découverts, ont été mis en évidence témoignages rares d'un passé disparu.

Un souverain de la dynastie bouddhique Çailendra, dont le nom est inconnu, ordonna au VIIIe siècle la construction du plus grand temple du monde connu, en l'honneur de Bouddha.

Un groupe d'architectes et de bonzes se mit à la recherche d'un site qui devait être entouré par deux rivières et une chaîne de montagne, afin d'offrir à la fois une protection symbolique et naturelle. Ils trouvèrent un endroit convenable à 41 kilomètres environ au nordouest de Yogyakarta, situé aujourd'hui dans la région de Magelang.

En accord avec les vieilles idées du culte ancestral, on érigea une sorte de montagne — un stoupa constitué de pierres carrées — symbole à la fois de l'unité du cosmos et d'une philosophie embrassant le monde.

Des milliers de gens travaillèrent sous la direction des maîtres d'ouvrage du batîment. Les nombreuses pierres nécessaires à la construction (environ 55.000 m³) furent vraisemblablement prise dans un seul endroit, situé dans les montagnes environnantes. Cependant, les méthodes les plus modernes de recherche n'ont pas permis à ce jour de découvrir la carrière d'extraction. Il existe une controverse sur la date exacte du commencement de la construction et sur celle de l'achèvement. L'opinion des savants varie entre 80 et 200 ans.

Les nombreuses niches, les galeries et les escaliers — qui semblent en nombre infini, sont arrangés dans un ordre stricte et symbolique.

Au premier abord, Candi Borobudur consiste en neuf terrasse superposées, symbole de neuf niveaux du Mont Sacré Méru. Ces terrasse sont encore différénciées les une par les autres, en ce quelles appartiennent aux trois phases spirituels qui symbolisent les stades de la vie. La religion bouddhiste ordonne l'existence temporel et la conception spirituelle en trois sphères. La plus basse — kamadhatu — symbolise le transitoire de la vie. Rupadhatu, la deuxième sphère, est le renoncement à tous les désirs humains mais garde toujours la forme terrestre. Arupadhatu, la troisième et la plus haute des sphère, représente le Nirvana, Inimaginable, la Delivrance Eternelle.

Le fondateur du Bouddhisme — Siddharta Gautama (littéralement : celui qui a remplit son destin) — est né en 560 av J.-C. Il est le fils du souverain de Kapilavastu, un petit pays au sud de l'Himalaya. Gautama vécut sur terre comme un être humain, mais à travers la méditation et la révélation divine il parvint à la condition de la pureté surnaturelle, vide de tout désir terrestre.

Selon la légende, la mère de Gautama — la reine Maya — rêva une nuit qu'elle était enlevée par quatre rois mystérieu. Elle fut conduite vers un palais d'or dans une montagn d'argent où elle rencontra un éléphant blanc qui portait dan sa trompe un borgeon de lotus. L'éléphant fit le tour d'el trois fois et entra alors dans sa matrice. Bouleversé par c rêve, le roi appela 64 brahmanes réputés pour leur sagesse afin qu'ils interprètent ce rêve insolite.

Ils prédirent que la reine donnerait naissance à un fils, dor le pouvoir le rendrait souverain d'un royaume plus grand qu celui de son père, et ils conseillèrent aux parents royaux d garder leur fils dans le palais. S'ils échouaient, leur fi quitterait le palais et rejoindrait dans le monde extérieur; serait éclairé et son pouvoir permettrait de lutter contr l'ignorance des hommes et leur apporter la vérité. Les parent néanmoins, furent mécontents à l'idée que leur fils abandon nerait la vie pour la recherche de la lumière, et ils décidère de faire tout ce qui était en leur pouvoir pour le garder palais et l'éduquer dans la tradition royale.

Ses promenades dans le parc royal avoisinant — Lumbini — furent pour Gautama les seuls moments de contact avec l vie ordinaire. Au cours de ces promenades il rencontra u vieil homme faible, un malade condamné, un cadavre en trai de se décomposer et enfin un moine ascète. La misère noir de la vie courante, la pauvreté, la maladie et la mort euren bientôt plus d'influence sur sa pensée que la vie somptueus au palais royal. Une nuit, Gautama quitta son père, sa femm et son fils et marcha sans repos au-delà de la frontière de so royaume, afin de renoncer à sa vie de privilégié, et essaya d trouver un moyen de libérer le monde de la misère.

Après sept ans de stricte privation corporelle et de méditatio spirituelle, il se rendit compte que la torture physique n contribue pas à trouver l'illumination, et il recommenca à manger et a boire. Ce n'est qu'ensuite qu'il entrevit la caus de la répétition éternelle de la naissance et de la mort, et ains de la souffrance et de la misère dans les "Quatre Vérité Sacrées" — la base de ses enseignements à venir:

1. La vie est une souffrance.
2. La souffrance est une conséquence de la passion et du désir
3. Le soulagement du désir mène au soulagement de la souf france.
4. La voie de la delivrance traverse le Huit Etapes du Chemin.

Sacré, c'est-à-dire: la croyance vertueuse; l'intention ver tueuse; la parole vertueuse — la vérité et la franchise; la onduite vertueuse — tranquille et pure; la vie vertueuse — ui ne provoque aucune blessure; l'effort vertueux par le sang-roid; la pensée vertueuse; la méditation vertueuse.

autama devint un homme éclairé, un Bouddha, et partit en élerinage partout dans le nord de l'Inde. Un grand nombre e convertis se joignit a lui. A l'âge de quatre vingt ans, le ondateur de la nouvelle religion, vite répandue, Bouddhisme, nourut.

n dit que ses derniers mots consistèrent à la fois en une éalisation et en une exhortation méditative: Tout ce qui est arvenu à l'existence est transitoire; la lutte doit continuer!

a première sphère spirituelle du Bouddhisme — Kamadhatu – représentée par le pied du Candi Borobudur, n'est plus isible aujourd'hui qu'en quatre endroits. Un immense mur rotecteur d'à peu près 12.000 métres carrés recouvre la lupart des reliefs et a permis, dans une large mesure, de con-erver en bon état. Cette base contenait des reliefs illustrant a vie réelle — les images de l'amour, de la haine, de la union, du bonheur, de l'espoir et du misère de l'enfer. Ce 'est qu'en 1891 qu'elle fut découverte, au cours des travaux e restauration du temple.

eux théories sur l'origine du mur se sont developpées depuis. a première est d'ordre technique, car liée au procédé de abrication. Comme plusieurs d'entre les 160 reliefs dissimulés urent trouvés inachevés, la théorie affirme qu'avant même achèvement du temple, le monument menaçait de s'affaisser t qu'un mur de support fut bati rapidement autour de la base u temple. Les forages réalisés au cours de la dernière res-auration auraient confirmé cette théorie.

n a découvert que la site où le temple est construit n'est pas eulement constitué par la colline naturelle mais aussi d'une ccumulation de terre artificielle qui, bien sûr, n'était pas ssez forte pour servir de base solide à la montagne de pierres. a seconde théorie favorise une interprétation religieuse et résuppose que le mur de pierre massif a été prévu dès le épart. Le Candi Borobudur n'était pas destiné à servir la ociété religieuse en général, mais seulement un groupe de noines choisis, qui étaient supposés avoir renoncé à tout désir umain dans le but d'atteindre la sphère de la délivrance et e l'illumination. La theoric conclut que d'une part la sphère u désir devait été peinte, et d'autre part, elle devait être dis-imulé aux yeux des moines.

a raison pour laquelle l'abri devait consister en un mur de ierre de cette dimension — 6 métres d'épaisseur et 3 métres e haut — s'explique par la croyance que ce n'est qu'à travers cakrawala'', le ''Mur de Fer'', que le monde spirituel du

Borobudur peut exister en sa totalité, véritablement séparé du reste du monde.

La première théorie semble avoir une plus grand logique interne.

Par le palier de l'escalier, le visiteur de Borobudur aujourd'hui entre dans la première des galeries. C'est la plus basse des quatres galeries qui composent le ''Rupadhatu'', ou la se-conde sphère spirituelle du Bouddhisme. Dans cette sphère, tout désir humain a disparu, seules les formes de notre monde persistent. C'est généralement la sphère du Bouddhisattvas, qui — bien qu'étant sous la forme humaine — a malgré tout abjuré la luxure et le désir, et qui est prés de la délivrance. La première galerie comporte, dans le sens des aiquilles d'une montre, deux séries de reliefs superposés, sur la balustrade et sur le mur principal. La série supérieure de reliefs de la balustrade représente la vie spirituelle de Bouddha, cependant que le mur principal expose sa vie terrestre. Plusieurs reliefs ne peuvent pas encore être interprétés avec certitude.

Le balustrade de la première galerie devrait contenir en tout 104 Manushi Bouddhas placés dans des niches ouvertes. (A cause des vols et de la reconstruction il ne reste à présent que 79 Bouddhas). Ceux des quatre coins du monument indiquent les quatre directions de la boussole. Dans la hierarchie bouddhiste, les Manushi Bouddhas, en raison de leur manifes-tation terrestre, représentent le degré le plus bas de sainteté. Il est relativement facile de reconnaître un Bouddha par sa stature, sa position et ses vêtements. Il est habillé d'une robe qui, dans la position assise, laisse l'épaule droite dénudée. Ses cheveux consistent en de petites boucles, qui sont ar-rangées autour de la tête en spirale tournée vers la droite, et au centre de laquelle il y a un petit chignon vertical. A l'exception d'une seule posture, où Bouddha porte une cébile, ses mains sont toujours libres. La signification et le symbole sont liés aux différentes positions de la main (Mudra), ils peuvent présumer l'attitude enseignante, rassurante, avertie ou douée de raison; sept caractères différents de Bouddha ont été retrouvés à Borobudur.

Après avoir monté l'autre série d'escaliers, le visiteur se retrouvera dans la deuxième galerie. Les reliefs constituent la suite de ceux situés dans la première galerie, avec la seule différence qu'ils sont singuliers, occupant tout le mur, et non deux lignes. Les Bouddhas de la deuxième balustrade — (ils devraient être 104, mais en fait il n'y en a actuellement que 50 Bouddhas) — appartiennent au groupe ''Dhyani'', dit de la méditation de Bouddhas. Ils sont les souverains des quatre vents du paradis: Akshobhya à l'est — Amogasiddha au nord — Amithaba à l'ouest et Ranasambhawa au sud. Les Dhyani Bouddha différent aussi par leur symbole suivant leur direction.

Les Bouddhas tournés vers l'est prennent la terre à témoin; ceux qui font face au nord symbolisent le cause; les Bouddhas qui font face à l'ouest sont perdus en méditation et ceux du côté sud symbolisent la charité et l'indulgence.

Des crevasses béantes sont clairement visibles entre les blocs de pierre — conséquence de l'eau de pluie, accumulée à l'intérieur du monument qui fait une pression vers l'extérieur. La mousse et les champignons, comme les tremblements de terre, la sédimentation et les autres mouvements de la terre ajoutent leur contribution au processus naturel de délabrement. Le visiteur s'émerveillera du travail immense et de la grande patience, nécessaires à la numérotation de chaque pierre, à leur démontrage, leur nettoyage, leur conservation et finalement à la reconstruction. C'est la seule solution pour conserver ce monument unique.

Après l'ascension d'une série d'escaliers, la troisième galerie s'ouvre à ses yeux. Les reliefs et la balustrade sont très différents de ceux de galerie inférieure.

Un petit nombre seulement des Bouddhas de Borobudur ont encore leur tête originelle; au cours des dernières décennies, les musées, les galeries et surtout les collectionneurs privés du monde entier en ont fait des objets de commerce précieux. De temps en temps il a été possible de retrouver ces têtes et les ramener à Borobudur. On espère que les revêtements de pierre sur les surfaces abimées aideront à fixer correctement les parties, alors que ce n'est que possible aux deux cas sur 42 cas.

Tandis que le premier niveau de la sphère de l'existense bouddhiste est considérée comme le Monde des Désirs, la seconde devient la Sphère des Formes.

Souvent, le sens intentionnel de la scène exposé sur un panneau pictural n'est plus visible, cependant le désir humain n'est plus représenté. Par ailleur, le nombre d'ornements et de décorations augmente, et ils deviennent de plus en plus imaginatifs, expression transformée de la forme et de l'espèce infinie de la vie terrestre.

La seconde sphère bouddhiste se termine avec la quatrième galerie. La signification de la plupart des reliefs du mur extérieur est inconnue, ou bien ne peut être liée à l'un des mythes ou dès contes connus. Cependant, il n'y a pas de doute qu'ils illustrent Bouddha et son avancée dans le futur. Les reliefs du mur opposé décrivent Bouddha dans un futur moins avancé. Il semble que les disciples javanais du Bouddhisme étaient particulièrement dévoués à ce deuxième Bouddha. La balustrade devait contenir 72 Bouddhas (68 à présent), un peu plus petits que les autres, et conforme ainsi aux proportions plus petites de l'ensemble de ce niveau.

Souvent, les statues et les niches à moitié ouvertes sont endommagées par l'étourderie ou la négligence des visiteurs. Pour un meilleur angle de prise de vue, une ascension risquée était souvent nécessaire, avant la restauration, et provoquai l'écoulement des marches de pierres mal fixées. Par peu d'être pris sur le fait, le dommage était sommairemen couvert, ce qui ne faisait que l'aggraver.

Les grands arbres autour du temple cachent partiellement la vue des montagnes alentours, des plantations de coco et de rizières à perte de vue.

Avant d'atteindre la terrasse circulaire, la plus haute et la troisième sphère — Arupadhatu —, le visiteur pénètre sur une espèce de plateau. L'endroit devait contenir 64 Dhyani Bouddhas (60 à présent) et garde encore la forme carré de la galerie du dessous. Les statues sont les symboles de Bouddha Wairocana, le souverain du Paradis et le chef des sphères les plus basses.

Le mur intérieur de la galerie est presque circulaire et ne comporte aucun reliefs.

Ce plateau représente la transition des sphères de la Forme à celles de l'Informe, de l'inimaginable et de ce qui ne peut être su.

La première terrasse de la sphère la plus haute contient 32 "stoupas" ou "dagobs", une reproduction du symbole du Mont Sacré Méru. A travers les brèches rhombiques de chaque stoupa treillagé, on peut voir un Wajrasattva Bouddha en position assise, tournant la roue de dharma (la roue de la vie). La vue étendue que l'on a du haut temple — qui à ce niveau n'est pas gêné par des reliefs et des balustrades — et l'architecture sévère et dense des terrasses et des stoupas, doit transmettre, même au visiteur moderne, une sensation de tranquillité de l'esprit.

La contemplation s'achève d'habitude en touchant un des Bouddhas à moitié dissimulés, emportant par ce moyen une promesse de bonheur et de chance.

Quand van Erp débuta la restauration du monument en 1907, tous les stoupas étaient affaissés ou brisés. Dans une large mesure les Bouddhas avaient complètement disparu ou leur tête avaient été cassées et volées.

La simultanéité de la présence et de la non-présence représentée par les stoupas treillagés, symbolisaient pour les pèlerins et les moines le plus haut stade de l'accomplissement. Le fait que cette estrade soit encore divisée en trois terrasses révèle l'extrême subtilité des architectes du monument aussi bien que celle de la religion elle-même.

Les moines de la période qui suivie l'achèvement du temple — à tout le moins pendant le XIVe siècle — étaient membres de la secte "Vajradharas". On dit qu'ils ont eue une relation exceptionnellement forte avec les pratiques magiques a l'égard du sexe feminin, qui se manifestait dans des rituels de caractère légèrement animiste. La littérature historique, encore rare, écrit les excès érotiques, qui peuvent rectifier l'images très ~~ure~~ et idéaliste du Bouddhisme qu'ont les visiteurs d'aujourd'hui. Selon certaines analyses: le fait que les reliefs soient relativement dégagés d'érotisme — comparés aux reliefs similaires de l'Inde — a put servir d'alibi aux circonstances réels.

La seconde terrasse contient 24 Bouddhas de positions et significations identiques. Le visiteur se trouve transféré dans un monde d'abstraction, dans lequel il se sent le seul objet tangible. A travers l'immensité de l'espace ouvert, un lien est établi avec le paysage alentour, les montagnes et les rivières, dans l'abri desquels le temple est construit. L'angoisse de l'espèce humaine — qui après tout est responsable de l'exisance de ce sanctuaire — semble disparaître pour toujours. Une dernière variation est visible sur la troisième terrasse, où 2 Bouddhas sont couverts de stouppas traillagés d'un dessin plus simple, avec des ouvertures carrées au lieu de rhombiques.

Par sa simplicité et son abstraction, le plus haut et le principal stouppa symbolise la paix éternelle après la délivrance. Cet état n'est plus imaginable pour l'homme: C'est le Nirvana, dissimulé pour toujours et dont malgré tout, se dégagent tous les pouvoirs et lois qui regissent le monde et l'esprit.

Dès 1814, une espace vide fut découvert à l'intérieur des stouppas, qui donna naissance a des interpretations variées.

Il est possible que cet espace ait contenu une grande statue de Bouddha volée dans le passé. D'un autre côté une statue de taille correspondante fut retrouvée à proximité du monument, laquelle du point de vue de la sculpture a quelques défauts et peut-être pour cela ne fut pas utilisée comme l'on avait prévu, mais plutôt enterrée.

Il est aussi possible que le stoupa ait contenu à un moment donné une statue du fondateur du temple et souverain de la dynastie Çailendra, dont le nom est inconnu mais qui fut adoré comme un Roi Divin (devaraja). Elle a peut-être volée ou emmenée dans une cachètte secrète par les derniers descendants de la dynastie à l'époque de son déclin.

Une autre théorie peut-être plus logique affirme que les ouvriers du batîment laissaient cet espace intentionnellement vide, afin de ne pas profaner par des atteintes humaines la sphère du Néant symbolisant l'indescriptible.
Tant de parallèles existent avec les monuments de l'Inde et du Cambodge que chacune des théories décrite peut prétendre à un certain degré de validité par analogie.
Pour les mêmes raisons, les vérité peut rester à jamais inconnue.

ま え が き

何百年もの間、「ボロブドウール」(Boro budur) という名の仏教の神聖な建物は人々に気付かれることなく中部ジャワの熱帯気候の中に建っていました。

この建物は、西暦７５０栄えたサイレンドラ (Sailendra)) 王朝のある権力者によって建てられました。

「ボロブドウール」の意味は今日にいたるまでまだ解明されていません。 古代ジャワ語の「丘の頂上の寺院」という意味かもしれません。西暦８４２年という日付のある石碑によると、「ボロブドウール」とは「十界の仏様の尊い行い」のことをさします。

西暦９１９年にマタラム (Mataram) 王国が崩壊し、文化と政治の中心が東部ジャワへ移されたことは、ボロブドウール (Borobudur) の建てられた時代やジャワの人口が減ったことと関係があるとも考えられます。 ときがたち、ボロブドウールの建設に参加した人々は、その建物が完成したあと、農業ができなくなり、そのために新しい文化と政治の中心へ住居をも移したのかもしれません。

素晴らしい碑文と独特のレリーフのため、ボロブドウールはインド (India) 以外では最大の寺院といわれます。 構造、技術、建築とレリーフからみると、ボロブドウールはカンボジャ (Kamboja) やインドにある寺院と深いつながりがあるとみえます。

近代計量学やステレオカメラや赤外線カメラによる空中撮影など、いろいろな方法でたくさんなのが解かれました。 しかし、未解決なことや不思議なことがまだまだたくさんあります。いつ、だれによって建てられ、どのぐらいかかってたてられたのか、いままでに、はっきりわかりません。

国際的な技術および費用の援助の下に行われているボロブドウール (Borobudur) 第二修復計画は、何年かのうちに、この寺院に関してたしかな情報を与えてくれるでしょう。 ボロブドウール建築の秘密や独特なレリーフなどまだ解決されていなくて、たくさんのなぞがただの過去として忘れられることのないように願わずにはいられません。

ボロブドウール

　　　8世紀のはじめ、サイレンドラ (Sailendra)王朝の、今では名前のわからないの一人の権力者が、仏様へ信仰を表す意味で世界で最大の寺院をたてるように命じました。

　　　当時の建築家と仏僧は、象徴的な自然の保護として、二本の川にはさまれ丘にかこまれた土地をさがしました。　そして希望どおりの土地をジョグジャカルタ (Yogyakarta)から４１キロ北西（今はマグラン (Magelang)）の位置にさがしだしました。

　　　大昔からつたわった祖先への崇拝儀式にしたがって、この地に宇宙の調和と世界のなぞを説く哲学を象徴する、山の形をした立方体の石で造られました。　何千もの人が優秀な建築家のもとではたらきました。　全部で５５０００平方メートルある石は周囲の山から運ばれたと考えられます。

　　　今日の専門家によると、そのたくさんの石はひとつの場所から運ばれたものですが、最新の技術によっても、今までに石の掘りかえされたあとがどこにも発見されていません。　ボロブドウール (Borobudur)がいつごろ建設されはじめ、いつごろ完成したのかも専門家のあいだで討論され、まだかいけつされていません。　建てはじめてから完成まで８０から２００年間ぐらいかかっているだろうといわれます。　無限と思われるくらい長い回廊や階段がきびしい法則や象徴のとおりに構成されています。

　　　ボロブドウールは九つの階からなりたち、それはメル (Meru)という聖なるやまの九段階をあらわします。　各階の意味は異なっていて、三つの精神的段階を意味する形態的段階をあらわします。　仏像は一瞬的な形態と精神概念を三つの段階に象しています。　一つ目はカマダトウ (Kamadhatu)、人生の制限をあらわしています。　ルパダトウ(Rupadhatu)、人間的な欲望は捨てましたが、まだ下界の形態を捨てきれない状態をあらわしています。　最後に一番高い階であるアルパダトウ(Arupadhatu)は描くことのできない永遠の自由、ネハンをあらわしています。

　　　仏教をはじめて説いたガウタマ　シッダールタ (Gautama Siddharta)（さとりをひらいた人という意味）は紀元前５６０年に生まれました彼は声聖人にいたり、人間的な欲望から遠ざかりました。

　　　伝説によると、ある夜、ガウタマ　シダルタ (Gautama Siddharta)の母親であるマヤ(Mayaはナゾの四人に王にさらわれました。　彼女は銀の山にある金の宮殿へつれていかれました。　そこで彼女はスイレンのはなをくわえた一頭の白い象をみました。　不思議なことに、その象は彼女のまわりを一週し、そのあと彼女の子宮にはいりました。

　　　この夢で王国はたいそううろたえ、その不思議な意味をしるため、６４ひとの有名な偉い仏僧をよびました。　この僧たちは、「王妃はのちに男を産み、この王子はやがて父親以上の権力を手に入れる」と予言しました。　そして、彼らは王国に王子をご殿でたいせつに育てるよう注意しました。　さもなければ、王子はご殿をはなれ、やがて彼は、自分が人間のおろかさにたちむかい、人々に真実を語るべきだということに気づいてし

まうだろうというのです。 自分のちに息子が王位と人生をすて、真実をさがす旅にでると聞いて、王国は悲しみにしずみました。 そこで王国は、息子がご殿をはなれず、王室の伝統にしたがって教育を受けるように、何でもすることにしました。

ガウタマ(Gautama)にとって、ただ一つのふつうの人生とのふれあいは、休暇をルンビニ(Lumbini)という王室の公園ですごすことだけでした。 この休暇をすごしている間、彼は老人、病人、そしてめいそうに生きている人にであいました。 ご殿での満ち足りた生活と比較し、彼は人生の老い、貧困、痛み、死などに心うたれました。 ある夜、ガウタマ(Gautama)は父親と妻と息子をすて、国境を越え、世界を貧困などから救う旅にでました。 七年間のめいそうと、欲望をすてる厳しい修行をしました。 やがて彼は解脱するには物質的状態は何の役にも立たないことをさとりました。

そして彼はやっと、生と死のくりかえしや貧困と不幸が存在する理由を「四つのおもな真理」の中にみつけました。 この「四つのおもな真理」とは、

1・ 生とは貧困と不幸
2・ 不幸は欲によって存在する
3・ 不幸を遠ざけるために、欲を遠ざけなければならない
4・ 自由に達するためには「八つの聖なる道」を通らなければならない

この「八つの聖なる道」とは、正しい信仰心、正しい考慮、正しい言葉、清く正しく平和的な行動、他人を傷つけず正しい生活、正しい努力、正しい自覚、そして正しいめいそうです。

ガウタマ(Gautama)はやっと悟りをひらき、ブッダ(Buddha)になりました。 彼は北部インドの各地をたびしました。 信者たちは彼に従いました。 このように仏教を説き、短時間で広めたブッダ(Buddha)は八十才でこの世を去りました。 彼は「世界にあるものはすべて制限されている。 戦いをつづけなさい。」と遺言しました。

仏教の第一精神的段階であるカマダトウ(Kamadhatu)はボロブドウール(Borobudur)の足の部分として表現されています。 この階は今は人口が四つしかなく、約12000四方メートルの広さの厚い石壁からなりたっています。 この壁は大部分のレリーフを破損から保護しています。 この基礎には人間の日常生活である愛、憎悪、罰、幸福、そして地獄の貧困などを表現レリーフが彫ってあります。 この部分は1891年に建てものの修復をはじめた頃にはっけんされました。

そのごろから、この壁が本物かどうか、二つの意見が議論されています。 構造技術にもといた意見によると、160のレリーフの大部分が土に埋まっていたことからみて、この建てものは完成するまえに、すでに崩壊しかけていました。 そのために、すぐに基礎を支えるための壁を造らなければならなかったというものです。 今の修復のボーリングはこの意見にもとついたものです。 ボロブドウール(Borobudur)は自然の丘の上に造られた人工の「丘」に建てられたものです。 この丘の土のかたさが異なっていて、自然の丘のほ

うが人工の丘よりも多大なの壁の圧力により耐え
られるということは当然のことです。

　　　　もう一つの意見は、信仰解決にもとつき、
石の厚く重い壁は建設のはじめから計画されてい
たというものです。　ボロブドウール (Borobudur)
は多くの信者のために建てられたのではなく、た
だ決められた仏僧にしか使えないように建てられ
ました。　仏僧は人間的の欲望をすて、悟りによっ
て救われた世界に達すると考えられたからです。
仏僧たちから欲望はかくされ、同時に見えなけれ
ばならないのです。

　　　　「鉄の壁」、つまり「地平線」によって
周囲の世界とは違ったボロブドウール (Borobudur)
の精神的な世界が表現ができるとこの意見はのべ
ています。　前者の意見のほうが合理的です。

　　　　階段に上ると、はじめの回廊にでます。
これが四つの回廊からなりたつ仏教の第二の精神
的世界、ルパダトウ (Rupadhatu) の一番下の階で
す。　ここでは、すべての人間欲望がすてられま
したが、まだ下界の形態がすてきれない状態をあ
らわしています。　人間の形態をしていても、欲
望の制限に成功した熱心な仏教信者はこの世界生
きています。　回廊の両側には素晴らしいレリー
フが彫られています。　回廊の外側の壁のレリー
フはブッダ (Buddha) の一生の精神状態をものがた
り、内側は彼の一生の人間としての生活をものがっ
ています。　たくさんの数のレリーフの中には、
まだはっきりと解決できないものもあります。

　　　　この第一の回廊には１０４の仏像がすえ
てあります。　しかし、今はその仏教も盗まれた
りこわれたため、あと７９しかありません。　角

の仏教は東西南北、四つの方向へ向いています。
仏教の階級法則によると、これらの仏教は下界の
形態をしているため、一番低い階級であります。
像や姿勢や服装によって、ブッダ (Buddha) は簡単
に区別がつけられます。　この仏像の姿勢は正座
で、服の石肩は開いています。　髪は頭のみぎ
がわへ小さくちちれて、まんなかには上へ小さな
三つ編みがあります。

　　　　意味と象徴は手の姿勢によって、異なり
それぞれ教えを説いている姿勢、なぐさめている
姿勢、注意している姿勢など、七つのブッダ (Bud
dha) の特徴がボロブドウール (Borobudur) にあり
ます。

　　　　次の回廊を上ると第二回廊にでます。
ここにあるレリーフは前の回廊の続きです。　た
だ、ここのレリーフは回廊の片方にしかありませ
ん。　この階の仏像もほんとうは１０４あるはず
ですが、今は５０しか残っていません。　階級か
らみると、ここの仏像は黙然の姿勢のヂヤニ (Dya
ni) 階級です。

　　　　このブッダ (Buddha) は東にアクソブヤ (A
ksobhya)、西にアミタバ (Amitabha)、南にラトナ
サンバワ (Ratnasambhawa)、北にアモガシダ (Amog
siddha) の、天上界のほうかくをとりしきってま
す。　方角によって、ヂヤニ　ブッダ (Dyani Bud
dha) の特徴や象徴がちがっています。　東へ向い
た仏像は地球を人間の行いに証人になるようもの
がたり、南へ向いた仏像は慈悲と情けを象します。

　　　　雨水がしみこんだため、積まれた石の間
にひびが入ってしまいました。　カビや地震など

、自然の崩壊をはやめています。　石を一つ一つはずし、洗い、そしてもとどおりにする修復作業は素晴らしいものです。　そしてそれはボロブドウール (Borobudur) をこれから先も存在させるには唯一の努力なのです。

　　　　次の階段を上ると、第三の回廊にでます。ここまでくると、ボロブドウール (Borobudur) の無残なすがたしか残っていません。　むかし、仏像は美術館や博物館など、世界なかの美術品愛好家のあこがれの的で、値打ちのたいへん高いものでした。　しかし、ボロブドウール (Borobudur) へ返された仏像やその部分もすくなくはありません。　その部分的なものは高い質の接着剤でしゅうせいされますが、４２回の実験でせいこうに終わったのはわずか二つだけです。

　　　　仏教の第一段階は「障害の多い世界」をえがき、第二段階は「形態的な世界」をえがいています。　この階では、レリーフの面の一場面が消されであり、これは人間的な欲望がすてられたという意味があります。　それと反対に、空想的な模様のレリーフ増えています。　永遠な人間界の形態がひょうげんされています。

　　　　この第二の仏教段階は四つ目の回廊が最後です。　このかいろうの壁のレリーフの意味は大部分がまだかいけつされていず、また、しられている伝説にも話しがありません。　そのため、この場面はブッダ (Buddha) の遠い未来の生きかたをものがっていると考えられています。

　　　　内壁のレリーフが未来のブッダ (Buddh の せいかつをえがきます。　ジャワ人の仏教徒は後者の仏教段階を強く仰します。　この回廊には７

２以上の仏像がありますが、大きさはこの回廊の規模に適するようにかなり小さいです。　心ない観光客は建てものに凹みとつくったりしてこわし、いい写真を取るために、高い所にのぼっています。

　　　彼らはだまっていて家へ帰ってしまいました。

　　　そして、重ね石が落ちってしまって、それがだんだんに悪くなりました。

　　　　上の回廊で周囲の景色をみまわすと、大きな木がたくさんあり、田や、やし農園などはあまり見えない。　アルパダトウ (Arupadhatu) という三段の丸形回廊にはいるまえには、レンコブ (Lengkob) という所をかならず通ります。　この回廊にはかつて６４余りのヂヤニ　ブッダ (Dyani (Buddha) 像があったはずだが、現在にはただ６０余りがのこっています。　この仏像は天国と人間生活の支配者としてのブッダ　ワイロカナ (Buddha Wairocana) を象徴しています。

　　　　この回廊の内壁は丸くて、何もレリーフがありません。　そして、このレンコブ (Lengkob) は、何も感じず、想像もしないことを象徴してあり、メル (Meru) という聖山をまねてつくらています。仏像ごとにヒシ形の穴で慈悲の輪をまわしてすわるブッダ　ワジャラサットヴァ (Buddha Wajrasattwa) がみえます。

　　　　レリーフとかストウーパの囲いは周囲の景色を自由にみるのと、妨げなくなって、訪れるひとびとの目を楽しませます。　幸せが得られることを意味します。

　　　　１９０７年に、ヴァン・エルプ (Van Erp) がボロブドウール寺院を修復しはじめるまえには、全部の仏像がこわれてしまっていました。　ある

仏像には頭がありません。

　　　格子ストゥーパは参拝者とか仏像がきちんと祈らなければならないことを意味します。この段階は三階層の回廊からなり、仏教建築として高い価値があります。

　　　１４世紀頃、ボロブドウール(Borobudur)寺院が建てられたころには、仏教のヴァジャラドハラ教派が勢力をもっていたといわれています。仏僧たちは女性的なこと（エロチイックなこと）と関係があり、アニミズム (Animistis) 的なことを信じました。　古い文学では、めずらしくエロチイック (erotik) なことを表されていましたが、現在に、これは理想主義的な仏教と解決されます。

　　　ある人はインドネシアにある寺院のレリーフはインド (India) にあるエロチイック的なレリーフと関係がないことという意見をだしました。

　ここにあるものは実際のことを象徴します。　二階目の回廊見たひとは抽象的世界に入って、自分を客観的見るように自覚します。　この回廊から周囲のうつくしい景色を見まわせます。　この神聖は建てものができたので、人間の苦難は永久になくなるといわれています。

　　　三階目の回廊には四角の格子をもつストゥーパにつつまれた１２余りの仏像があります。中央のストゥーパは永久な平和を意味します。しかし、このストゥーパに何が入っているかどうかは不明です。　人間にはこれは想像えることができません。　なぜなら、これはネハンとよばれて世界に支配力をもつもので、永遠のすみかだからです。　しかし、１８１４年に、ストゥーパの内部がからっぽであることがはっけんされてから、いろいろ説がでました。

あるものはストゥーパ中の仏像がだれかにぬすまれたのかもしれないといいました。　また、このストゥーパの高さと外の場所に仏像がみつかったことから、昔、契約をしたとおりに外の場所に埋めたかもしれないという意見をだしました。

　　　論理的な意見は、昔、設立者は無常界の中にある人間の欲望を避るために、そのままストゥーパをからっぽにしてしまったということです。この意見がカンボジャ(Kamboja)、インド (India) にある寺院についての理論と同じでしょう。　この考えが最も真実に正しいかもしれません。　しかし、今でも、まだ真相はわからないようです。